Mi última clase

My Last Class

Daisy Valls

Traducción / Translation María Teresa Ortega
Ilustraciones / Illustrations María Sánchez

Publicado por Eriginal Books
Published by Eriginal Books
Miami, Florida
www. eriginalbooks.com
www.eriginalbooks.net

English Style Reviewer: Mimi Daumy

Primera edición /First edition: Centro Cultural Español de Miami, 2009
Primera edición bilingüe / First bilingual edition, 2017

Cuento ganador del concurso literario Migraciones: Mirando al Sur, de la
AECID, España, por el Centro Cultural Español de Miami, 2009

Story winner of Migraciones: Mirando al Sur Literary Contest, from AECID,
Spain, by the Centro Cultural Español de Miami, 2009

ISBN: 978-1-61370-089-1

Índice / Table of Contents

Mi última clase.. 7

My Last Class 59

Mi última clase

Ya vamos, corazón, a donde sea,
no cuesta irse, pero cuesta mucho.

Eliseo Diego

TRES MINUTOS ANTES habíamos entrado al aula. Mis compañeros de clase habían estado como envueltos en risas y conversaciones, pero ahora ya se había hecho el silencio, y la señora Valle, maestra de Español, tomaba la asistencia. Oí cuando dijo mi nombre pero no contesté. Lo repitió. Mis compañeros empezaron a llamarme bajito: «Solángel, Solángel» *para que contestara, y al fin dije un pálido* «presente».

La verdad es que sentía que mi lengua no podía moverse, que mis labios no se podían abrir, que mis músculos no iban a responder ninguna orden que les diera mi cerebro. Estaba pegada a mi silla y su dureza era ya parte de mi propio cuerpo.

Era el día de mi despedida, aunque no lo sabía nadie. Le prometí a mi mamá que no lo iba a decir, y lo estoy cumpliendo. Una promesa es cosa muy seria, especialmente cuando uno se la hace a su madre.

Ya empezaba la clase. Me parece que la maestra hablaba de los complementos del verbo, pero no podía oírla a pesar de que estaba sentada en la segunda fila. Un montón de imágenes de la noche anterior se cruzaban por mi mente. La noticia en la sala de mi casa, el teléfono que sonaba tanto, mi cuarto, mi cama, los peluches de encima de mi cama. Los peluches a los que me abracé llorando. Pero rechacé esas imágenes cuando la maestra dijo que **los complementos del verbo enriquecen la significación de éste**.

Parece que esas palabras me sacudieron, devolviéndome por un momento a la clase, pero de inmediato mi mente vagaba de nuevo. Ahora andaba por el patio de mi casa donde mi mamá estaba combinando los colores para hacerme un papalote. Las imágenes quedaron impresas en las fotografías: Esta soy yo, y esta es mi amiga, y esta es mi mamá que ha terminado ya de hacerlo y le pone la cola con sus hermosos lazos y un hilo largo, muy largo. Ella lo empina y yo la veo irse con él muy alto hacia el cielo, volando entre las nubes que dan sombra detrás del árbol del columpio, a donde un ratico más tarde regresa con su barriga grande donde llevaba a mi hermanito.

Mi mamá puso el papalote sobre la cómoda de mi cuarto, pero yo lo colgué del ventilador del techo. Y como traíamos el calor del patio, el calor fuerte que hace aquí en Miami, prendí el ventilador y el papalote empezó a dar vueltas hasta que salió disparado por la ventana. Parece que se fue a bolina porque no pudimos encontrarlo. Como mi infancia, pienso ahora, el papalote se fue a bolina como mi infancia.

El señor Robles entró a hablar con la maestra. Siempre que él entra el silencio se hace más grueso, casi como para cortarlo con unas tijeras. Chis, chas, chis, chas. Pero mi silencio era aún mayor que el de los otros. Era denso, más fuerte. Y volví al patio de mi casa mientras la señora Valle hablaba ahora del burro que tocó la flauta por casualidad.

Yo recordaba aquel cuento que me inventé sobre el caballito Felipe y sus andanzas. Él era muy bueno y cuando fue a la escuela los niños lo querían mucho porque se dejaba montar a la hora de salida y porque quería aprender música. Piano no, porque tenía las patas duras y lo rompería con sus cascos; pero flauta sí, si yo se la sujetaba y ponía frente a su bocota los huequitos por donde debía soplar. Así aprendió a tocar el himno nacional de Honduras, donde viven mis abuelos.

Un día mientras él lo tocaba tomé el celular y marqué el número. Desde allá abuelita lo pudo oír. ¡Qué alegría tenía mi abuela! Decía que no lo podía creer. Pero mi mamá me quitó el teléfono y le dijo no sé qué cosa, y le explicó que yo era muy fantasiosa y todo eso, pero yo sé que abuelita me creyó. Ella sabía que la historia de Felipe era real *y verdadera. Al menos para mí, a los cinco años.*

Mamá, que ahora está con ellos, de seguro le habrá contado de cuando Felipe tocaba la flauta y de cuando ella misma voló colgada de mi papalote.

Oí el ruido de la puerta que se cerró detrás del señor Robles. La señora Valle continuaba con Samaniego e Iriarte. ¿Quiénes eran? Escribió el nombre de La Fontaine en la pizarra y después se fue a Grecia con Esopo. Bonito viaje. Pero las uvas no estaban maduras para nosotros, es decir, para mi familia y para mí. Al menos, todavía.

En mi patio hay una mata de uvas que mi mamá cuidaba cariñosamente. Todos le decían que aquí en Miami no se dan las uvas, que cuando salen son chiquitas y ácidas, que para qué. Pero ella no respondía. Y cuando lo hacía cogía la manguera y contestaba con muy pocas palabras, mirando hacia el tronco que regaba: «Si usted cuida una planta, le dará sus frutos. Y si no diera frutos, al menos dará su sombra». *Después de decir esto, siempre se callaba; quizás esperaba una respuesta que nunca le llegaba.* «La gente dice cosas que a veces no tiene por qué decir», *comentaba mi mamá. ¡Cómo habla la gente!*

¡Y cómo hablan los animales en las fábulas! No necesitan licencia, ni siquiera piden permiso. Licencia. Licencia para conducir. Licencia para entrar a un país. Para entrar a los Estados Unidos. Visa. Pasaporte. Ese era un tema muy frecuente en mi casa. Los mayores siempre hablaban de lo mismo. Mientras, yo me iba a mi cuarto a ver la televisión. No a jugar Play Station, pues en ese tiempo no tenía. Ni MP3, ni mucho menos un Nintendo DS. Por esos días en que en mi casa se hablaba tanto de la migra fue cuando se me cayó el primer diente.

—¡Se te ha caído un diente! —exclamó mi padre—. Vamos a ponerlo debajo de la almohada para que el ratoncito te deje dinero —añadió.

—¡Aquí está! —le dije levantándolo. Al otro día desperté temprano y debajo de la almohada mi mano tocó un flamante billetote de cinco dólares. Mi mamá vino a mi cama y sonriendo me dijo:

—Has perdido tu diente, el primerito, mas no te dé pena sonreír ahora, ¡que te ves muy bonita todavía!

Las palabras de mi madre me consolaron pues sentí mucho mi diente. Pero ahora miraba la pizarra y oía a la maestra que me llamaba la atención porque se dio cuenta de que yo andaba por las nubes o que estaba en Belén con los pastores o en la luna de Valencia, como ella dice. Empecé a copiar de la pizarra.

Repaso: Los complementos del verbo.
La fábula. Características de la fábula.
La fábula en España. En Francia. En Grecia.
El burro flautista.
La zorra y las uvas.

Copié algunas palabras escritas como sueltas y que ahora no sabía por qué la maestra las había escrito.

Copié la palabra **Tarea.**

Pero no copié la tarea.

Sentí como si un viento fuerte soplara en mi cabeza. Me toqué el pelo por si estaba despeinada, pero no, mis cabellos estaban en orden. El viento andaba por su interior, soplando enfurecido en mi cerebro. Mi mamá me peinó antes de irse. Fue lo último que me hizo antes de que se la llevaran. Aquí tengo el cepillo y el peine en mi mochila. Puedo tocarlos. Puedo sentir sus dientes y sus cerdas. Ahora los toco a través de la tela.

—Debes estar siempre bien peinada y limpia, con olor a vetiver —me dijo.

—Siempre, mamá. No lo olvidaré —le respondí, apretándola.

Siento los dedos de mi madre, sus manos amorosas sobre mi pelo, dejándolas correr por el cuello de mi blusa del uniforme, arreglándome la falda como si la alisara con unos manotazos suaves. Sus manos. Sus brazos rodeándome la espalda. Su abrazo lento que se hacía cada vez más fuerte sin hacerme daño sino mucho bien. Su adiós.

Y sobre todo, que no lloraba. Mi hermano y yo nos abrazamos a ella como a un tronco de árbol, apretándonos los tres con fuerza. Cuando nos separamos, a mi hermano y a mí nos corrían las lágrimas silenciosas, pero ella tenía los ojos secos tras su mirada dulce. Tenía la mirada de una de las madonas de la clase de Arte. La mirada más profunda y dulce que he visto en mi vida.

Con un movimiento rápido sacudí mi cabeza. Como diciendo no, no, no. Rechazando esa imagen. Pero la imagen no se iba; estaba estampada en mi cerebro como una calcomanía.

Mi mamá pegaba calcomanías en mis pulóvers. Las ponía sobre la tela y después les pasaba la plancha bien caliente y al despegarlas la figura aparecía con todos sus colores. El Pájaro Loco para mi hermano; Blanca Nieves para mí. Esas eran las preferidas de mi abuela, por eso mamá nos las ponía. El pájaro con su risa loca. Blanca Nieves agarrándose la falda, tan graciosa, y sonriendo con sus dientes blancos y parejos y los labios rosados. Blanca Nieves con el lazo en su cabeza y su pelo negro peinadito.

Ya las calcomanías no son así. Tienen otros personajes, muchos son fuertes, violentos, de cara contraída, poco amistosos. Y los tatuajes que se pegan en la piel y pueden despegarse también son como calcomanías, pero diferentes.

Como un tatuaje tenía yo pegado el adiós de mi madre. Un tatuaje pegado a la piel. Pegado en el alma. Todo mi corazón estaba ya tatuado de una manera permanente.

Me gusta la decoración del aula. Me gustan los carteles. Especialmente el de Las Médulas, que está en la pared del fondo. Montañas altísimas, de color dorado, contra un cielo azulísimo y unas nubes blancas. **La**

más importante mina de oro del Imperio Romano, *nos había dicho la señora Valle al principio del curso. Largos y profundos ríos allá abajo.* «También en Honduras hay oro en las montañas y en los ríos, y hasta en la laguna de Chiligatoro», *decía mamá.* «Las montañas de allá tienen unas vistas extraordinarias», *repetía a menudo como si las estuviera viendo.*

Frente a mi pupitre tengo el cartel del monasterio de Santo Domingo de Silos, con sus corredores y galerías de columnas grabadas. El patio central con su yerba verde y fina. El alto pino. ¡Siento tanta paz cuando miro ese cartel! De ahora en adelante necesitaré más y más paz.

Cambio la vista hacia el otro lado de la pizarra. Ahí está la regla de conducta que la señora Valle ha puesto en el mural: **Nadie haga a otro lo que no quiera para sí.** *Eso es bíblico. Lo he oído en la Escuela Dominical muchas veces. En la iglesia donde mi mamá* cantaba y tenía amigas, y mi hermanito y yo veíamos películas y escuchábamos historias.

Mi mamá es una catracha[1] y yo, aunque nací aquí, soy una catrachita. Me encanta la comida hondureña. Las tortillas, los frijoles fritos con queso por arriba. Me muero por saborear cualquier plato a base de maíz, o una banana de la tierra, tan dulce.

Me gusta cuando mi mamá me cuenta que la gente del gran cacique Lempira sacaba con las manos el oro de los ríos, como debió haber sido al principio en las minas de Las Médulas. Si yo hubiera vivido en su tiempo me habría gustado meterme al río con el agua a las rodillas para buscar pepitas, tres o cuatro pepitas de oro para mis orejas, una para la nariz, otra para la ceja. No, eso no. Eso no le gustaría a mi mamá. No se ve elegante, es cosa de chongas[2]; ellas son las

---

[1] Catracho, a. Sobrenombre con que se conoce a los hondureños.

[2] Personas que usan adornos llamativos, de mucho brillo y un tanto vulgares, tales como aretes grandes, cadenas gruesas, etcétera.

que usan todas esas gangarrias y aretes y collares grandes. No.

Mejor guardaría mis pepitas para cuando cumpliera los quince. Seguramente me habrían hecho una gran fiesta. Yo soñaba con eso. Sí, en un lugar de Homestead, un lugar donde crían pavorreales y hay ponis y jardines con olor a pomarrosas. Durante el día nos bañaríamos en la piscina y por la noche tendríamos el gran baile. Las muchachas de mi corte y yo entraríamos al baile en nuestros ponis adornados con flores y globos, y tomando las bridas irían nuestros compañeros, los muchachos que serán nuestras parejas. Mi muchacho, como el príncipe; y yo bailaría punta[3] cogiéndome la falda como bailaba Blanca Nieves. Sí, desde luego, la primera pieza sería punta.

---

[3] Baile y música típicos de Honduras. Según se cuenta, se originó entre los garifunas, grupo étnico de la costa norte descendiente de esclavos africanos e indios caribe y arahuaco. Lo bailaban *de punta a punta de la costa,* de ahí su nombre.

Desde hacía varias semanas venía yo pensando en mis quince. Imaginaba el trajín de mi mamá y de sus amigas tratando de no olvidar ni el último detalle: mandar las invitaciones, ensayar el baile, buscar a fulanita para el ensayo, llevar a menganita para su casa, la peluquera, la costurera, en fin, toda la parafernalia *(palabras de mi mamá) que habría que tener en cuenta. Ahora tengo catorce, realmente falta bastante, todo un año. Y en un año* se puede matar un burro a pellizcos *(palabras de mi abuela, que dice tantas frases simpáticas).*

Ahora mis quince ya cambiaron y tendré que volver a componer mi fiesta de nuevo, tan bonita como me la imaginaba. Tan bien como me estaba quedando. Lo más probable es que tenga que celebrarlos con mi mamá y mis abuelos, mis tíos y primos, la familia de allá. Tengo que averiguar cómo se celebran los quince en Honduras.

El problema es cómo lo pasaré sin mis amigos, con gentes que nunca he visto y que apenas conozco solo por teléfono o por fotografías. ¿Qué corte iba a ser esa con damas desconocidas? ¿Acaso tendría corte?

No sé. Ahora no sé nada. Estoy como viviendo entre dos mundos. Pero eso no es nuevo. Ha sido así desde que nací, o desde antes de nacer, cuando era una bebita y estaba en la barrigota de mi madre.

Eso puede ser bueno.

Pero lo bueno de verdad es bailar punta. Es lo que más me gusta a mí de Honduras. La punta es el baile típico; todo el mundo lo baila. En los salones, en los parques, en las calles. Cuando suenan los tambores la gente empieza a mover las caderas en redondo, hombres y mujeres bailando. Bailando como si no pensaran nada más que en cómo mover el cuerpo. Las niñas y los niños también bailan porque aprenden desde pequeñitos.

Mi mamá era campeona de punta. Bailaba mucho y sin cansarse. Ganaba cuando hacían competencia de punta en su escuela y ella me enseñó a bailarla. ¡Cómo nos divertíamos!

—¡Tienes que aprender! ¡Te voy a enseñar! —me había dicho.

Y yo, que estaba loca por bailar le contesté:

—¡Ahora mismo!

Mi mamá puso un disco, sonó una canción que se llama "El sueñito" y comenzamos a bailar contentas, riendo, mientras limpiábamos la casa. Yo con la escoba; ella con el trapeador. ¡Qué buenas parejas teníamos!

Para celebrar el mes de la Hispanidad aquí en la escuela formamos grupos de bailes hispanoamericanos: la jota, el tango, la cumbia, la plena, el joropo, la salsa, la conga y otros más. Yo bailé "El sueñito" y "La tusa", canciones antiguas, tan bonitas, como lo hacen los grupos folklóricos, con una falda larga, moviendo las caderas y agarrando el borde de la falda con las puntas de mis dedos, abriéndola como un abanico y dando vueltas.

Mi mamá me veía bailar en el escenario sentada en la primera fila. Ella seguía mis movimientos con una sonrisa, con chispas en los ojos, con orgullo. Y cuando terminaron los aplausos tomé el micrófono y dije: «Dedico este baile a mi madre, que fue quien me enseñó a bailar punta». Cuando ella escuchó eso, se levantó y subió casi corriendo los escalones y me abrazó. Y el abrazo duró mucho, me parece que no podíamos despegarnos.

Después de eso tuvimos fiesta en mi casa. Con nosotros estuvieron mis tres mejores amigas. Mamá me premió con la más rica comida catracha que he tenido en mi vida. Preparó baleada[4], tortilla de maíz con carne

---

[4]Plato tradicional de la comida hondureña compuesto por una tortilla de harina, doblada y rellena con frijoles fritos, también se suele añadir cualquier tipo de carne, huevo, queso, etcétera.

asada y frijoles con queso, y empanadas de carne con especias y papitas en cuadritos. *Hizo también frijoles colorados volteados de la marca Ducal, tamalitos de repollo, pastel de carne y hasta ticucos[5]. Y no nos faltó el rey, el nacatamal[6], aunque no estábamos en Navidad. De beber nos preparó refrescos de maracuyá y de moras.*

A mi hermano se le viró el vaso y su refresco se le derramó sobre la alfombra y se hizo como un mapa líquido encima de ella. Mi mamá cuidaba mucho esa alfombra que una amiga le había traído de Comayagua. Las de Comayagua son muy famosas, y esta era una copia muy especial. De fondo azul como el cielo con unos pinos hermosos.

---

[5] Comida preparada con la masa de maíz, frijoles, sal, mantequilla, queso, tomate, pimiento y pepino. Se envuelve en la hoja del maíz.

[6] Plato semejante al tamal. Se hace la masa con maíz y esta se rellena con lascas de papa, pimiento, tomate, cebolla, aceitunas. La masa se envuelve en hojas de plátano que se amarran con un cordel.

Yo estaba parada sobre un pino, y detrás de los pinos no estaba la luna, sino la bandera de dos franjas azules y una blanca y mamá estaba de pie en el medio, donde se encuentran las cinco estrellas. Es decir: Mamá no tenía una estrella que la guiara en su vida, sino cinco. Y allá se fue, con sus cinco estrellas, en un vuelo directo hasta Tegucigalpa. Un vuelo que cambió su vida y la de nosotros.

Mamá mía: Ahora estás en el país de la punta, pero no bailas. En el país de los ticucos, pero seguro que no puede pasarte ni uno solo de ellos porque tienes un nudo en la garganta. Estás de nuevo en el país de los catrachos. Mas como yo, hoy has perdido la alegría.

LA MAESTRA CAMINA por el aula, se detiene cerca de mí, me mira. Yo trato de esconder mi mirada para que no se dé cuenta de que estoy a punto casi de llorar mientras ella se esfuerza para que aprendamos las características de la fábula: **La fábula siempre nos enseña algo. La fábula tiene un mensaje, una moraleja al final. La moraleja es la enseñanza. La palabra moraleja viene de la palabra moral.**

Moral. Oigo esa palabra y recuerdo a mi padre. Sí, cuando dijo la mentira. ¡Qué mentira tan grande! ¡Qué mentira tan fea!

Primero le mintió a mi madre. Fue cuando se quedó sin trabajo y le dijo que le habían salido dos en Carolina del Norte, uno en un cultivo de tabaco y el otro en una granja de pollos y gallinas. Que podría hacer los dos perfectamente, trabajar mucho para ahorrar y reunirnos de nuevo... Pero que por ahora no nos podía llevar con él. Eso nos dijo la noche antes de partir, *reunidos en la sala. Que primero tenía que preparar nuestro acomodo, preparar las condiciones para que tuviéramos todo lo que fuéramos a necesitar, todo tipo de comodidades.*

Mientras mi papá hablaba y nos decía que nos quería mucho y que deseaba lo mejor para nosotros, mi hermanito y yo llorábamos a moco tendido. Mi mamá estaba seria, pero no lloraba. Tampoco se veía triste, sino tensa. Había dejado caer las manos sobre su regazo, y éstas parecían pesadas, como inmóviles.

Al otro día, cuando mi mamá nos recogió en la escuela mi papá ya se había ido. Llegamos a la casa y me pareció vacía. Mi hermanito se sentó en la butaca de mi padre, un reclinable alto donde desde pequeño él lo dormía mientras veía televisión, y comenzó a llorar de nuevo. Mi mamá estaba en el sofá y yo me recosté a ella, con mi cabeza en su brazo, como si quisiera pegarme a su costado.

Mi mamá no lloraba, por eso creo que yo tampoco lloré. Pegada como estaba a su brazo, la sentía dura, una piedra; y es que ella estaba conteniéndose, callando algo muy doloroso, un sentimiento muy profundo que le era difícil compartir con nosotros. Algo muy suyo, que no podía decirnos. Y lo único que yo deseaba era quedarme quietecita en su costado, como incrustada a ella para siempre.

Al principio mi papá nos llamaba todos los días. Después todas las semanas, pero luego cada vez lo hacía menos. Eso sí, siempre le mandaba dinero a mi mamá. En todo ese tiempo nos escribió dos veces, una en el mes de mayo y otra en diciembre. En la carta de mayo nos hablaba de las hermosas flores que había por allá, de lo linda que era la naturaleza, de los brotes de la primavera, de cómo cantaba el arroyito.

En la carta del primero de diciembre nos decía que los árboles no tenían ni una sola hoja, que estaban pelados, como secos, que hacía mucho frío y que había caído ya la

primera nevada. Mi hermanito y yo estába-
mos muy excitados por la noticia de la nieve,
y ya nos veíamos lanzándonos por las suaves
colinas que de seguro rodearían la casa.

Podía imaginar los campos verdes llenos
de flores azules y de color lila al pie de la
montaña. O los grandes espacios llenos de
margaritas en septiembre, los narcisos en
abril y las rosas silvestres en el mes de junio.
Podía imaginar el ancho río con sus orillas
llenas de hielo en febrero; y en otoño como
envuelto en llamas por los rojos, amarillos y
marrón de los árboles que sus aguas refle-
jaban; así siempre estaban por octubre.

Podía imaginármelo todo; todo menos la
verdad.

No, las fábulas no son una realidad, las
fábulas son un producto de la fantasía crea-
dora. Los personajes no se comportan de
una manera real, porque son animales y no
pueden hablar ni pensar como un ser
humano, pero representan una situación
que puede ocurrirle a un ser humano en la

realidad. Por eso la situación que cuenta una fábula contiene una verdad: La verdad que se plasma y sintetiza en la moraleja.

Sí, señora Valle, pero la verdad para mí era diferente, y no quiero ni pensar en ella. Y la realidad, todavía peor. Mi imaginación ahora tenía límites. Mi situación me había dejado sin habla y casi no podía pensar tampoco. Más aún: Me parece que estoy perdiendo la capacidad de soñar. Mi mamá tenía razón cuando le dijo a la abuela que yo era muy fantasiosa porque creía que mi caballito Felipe tocaba la flauta. ¡Cómo se me pudo haber ocurrido eso..!

Ya había pasado más de un año desde que mi papá se había ido. Y en la semana del receso de primavera vino a buscarnos. Solo a mi hermano y a mí.

—¿Y tú no vas con nosotros, mamá? —le pregunté con extrañeza.

—No —me respondió con sequedad.

—¡Vamos! ¿Qué pasa? ¿Por qué no vienes con nosotros? —le pregunté mirándola fijamente.

—¡Es que no puedo abandonar el trabajo por tantos días..! —me dijo despacio y bien bajito.

Yo acepté su razón pero me dolía que no fuera al viaje. Ella trabajaba en el restaurante de una amiga en la Pequeña Habana, un restaurante nada grande, de esos que llaman fonda. Tenía seis mesas y una barra donde servían desayuno, almuerzo y comida. Pero al mediodía se llenaba tanto que la gente casi no cabía. Por eso no podía dejar a su amiga sola por toda una semana, con tanto trabajo que le caería encima. Cuando mi hermano y yo nos montamos en el carro, comenzó el tiempo más precioso que he tenido en mi vida. Nunca antes habíamos salido de Miami.

Nuestros viajes no se apartaban del círculo Hialeah - Sweetwater - Pequeña Habana, que era el recorrido de los domingos.

¡Ahora sí que viajábamos de verdad, completamente en grande! Íbanos llenos de felicidad. Yo llevaba un mapa abierto sobre mis rodillas, lo miraba, apuntaba con mi dedo índice y gritaba el nombre del próximo pueblo o de la siguiente ciudad.

Hasta que llegamos a Yadkin Valley. Era realmente hermoso. Ya no había sembrados de tabaco, pero un inmenso viñedo comenzaba a echar sus brotes. Las plantas se despertaban después del intenso frío y se veían llenas de retoños.

—¡Qué lindo lugar, papá! —le dije, guardando el mapa.

—Sí, muy lindo —me contestó.

Mi hermanito no dijo nada, pero sus ojos se abrían cada vez más, hasta ponérseles del tamaño de un plato. Habíamos pasado tantos pueblos, tantas carreteras. Dieciséis horas de viaje. Ya tenía ganas de descansar, darme una ducha, arreglar mi pelo...

Al fin el carro se detuvo ante una casa que tenía una cerca rústica. Papá tomó la llave y abrió la verja, después la puerta. Yo estaba detrás de él, por eso no pude mirar hacia adentro hasta que él se hizo a un lado para que entráramos. Al poner los pies en la sala vi que allí había una mujer con un bebito entre sus brazos. Mi papá, muy contento, se puso al lado de ellos para presentarnos.

—Esta es Carmen, mi esposa, y este niño es el hermanito de ustedes. Vengan a conocerlo, acérquense —nos dijo mientras hacía el gesto con la mano.

Cuando mi papá nos dijo eso, mi sorpresa fue tan grande que me quedé como muda. Todo este tiempo he guardado rencor contra mi padre y también contra mi madre. Porque nunca nos dijeron la verdad. Porque nos mantuvieron engañados. Porque nos mintieron.

Mi hermano parecía tranquilo, como si aquella situación no le tocara, como si no le importara lo que acabábamos de ver. Pero yo no tengo que decir que pasé unos días muy malos, con aquella señora que para mí era una extraña y un hermanito de quien nunca antes había tenido noticia. Ni tengo que añadir que el viaje de regreso estuve todo el tiempo callada, ni que cuando mi papá me decía algo le contestaba con monosílabos.

Por toda la carretera venía recordando al Pájaro Azul, ese pájaro de la felicidad que habíamos leído en sexto grado y montamos en nuestro grupo de teatro después de ver la película. El maravilloso viaje que realizan los hermanos por el espacio abierto, por el cielo infinito, en busca del Pájaro Azul...

La felicidad no hay que buscarla tan lejos. La felicidad está cerca de nosotros. La felicidad está dentro de nosotros. Pero tenemos que buscarla. Eso nos dijo la maestra ¿Sería éste el mensaje de la obra? Hasta después de leerla, de ver la película y de debutar en el escenario como una gran artista y todavía hoy, me han quedado dudas sobre lo que quería decirnos el autor. Eso es muy complicado, muy difícil.

Pero por lo que hasta ahora sé, parece que la felicidad no existe, o que se esconde, o que no se puede alcanzar, como el Pájaro Azul. Mírenme a mí, yo pensaba que iba a tener los mejores días en Carolina del Norte y he regresado como si me hubieran echado un cubo de agua fría por la cabeza...

Llegamos a la casa. Mamá nos esperaba, claro está, con la mesa puesta. Ya sabemos que lo más importante para una mamá es alimentar a sus «pollitos». No tenía deseos de ser con ella tan cariñosa como siempre, pues me molestaba que me hubiera ocultado la verdad sobre mi padre. Ella misma me había enseñado a no decir mentiras, a decir siempre la verdad, y ahora algo dentro de mí había cambiado.

Pasaron los días y uno va olvidando. Volví a ser como siempre con ella porque comprendí que «se había sacrificado por que nosotros no sufriéramos, porque no tuviéramos que vivir la angustia de una separación». *Pensé que yo había sido muy egoís-*

ta, *pues ella* «trató de protegernos, de cuidarnos para que no tuviéramos problemas emocionales ni traumas, para que asimiláramos mejor la ausencia de un papá».

Me dolía mucho lo que nos hizo papá, pero ya no lo juzgaba. Él es un adulto y decidió hacer su vida lejos de nosotros. Pero lo sigo queriendo. Además, tengo otro hermanito, un hermanito que ya camina y hasta me dice mi nombre cuando mi papá me llama por teléfono.

Aprendí mucho durante todo ese tiempo.

Leo: **Aprender es una función vital. Aristóteles.** *Es el lema que la señora Valle escogió para este curso, por eso lo escribió en la parte más alta de la pizarra. Me pregunto qué querrán decir esas palabras exactamente. La maestra nos había hecho unas preguntas que no podía yo responder todavía:* **¿Aprendemos de la misma forma en que respiramos? ¿Tenemos la misma necesidad de aprender que de comer?**

Entonces, ¿aprendemos porque estamos vivos? ¿O vivimos porque aprendemos?

Bueno, las preguntas no tenían mucho orden, pero **el orden de los factores no altera el producto**, *nos decía el señor Fernández en la clase de Matemáticas. Extraño al señor Fernández, siempre de buen humor. También al señor Robles, mi maestro de cuarto grado. Mucho ejercicio, mucho trabajo, mucha tarea. Pero aprendimos. Y nos reíamos de cuando en cuando.* ***(También reír es una función vital. Solángel).***

Me conecto a la clase. Ahora vamos a comenzar las prácticas de AP Spanish Language. Abrimos el libro. Escritura informal: **Escribe una carta breve. Imagina que tuviste una cita en la cual no te divertiste mucho**. *Lápiz, papel. Cabezas inclinadas, pensando. Termina el tiempo de escribir. Ahora debemos leerlo en voz alta para discutirlo; la maestra hará las correcciones.*

Luis levanta la mano; quiere leer su carta. Tiene permiso. Lee:

«Querido amigo:

No puedes imaginar lo mal que lo pasé en mi cita de anoche. Fuimos a comer a un restaurante muy bonito en Coconut Grove, con vista al mar y todo. Pero cuando más contentos estábamos se me ocurrió decirle un cuento a la muchacha. ¡Y qué horror! Por la risa, a ella se le escapó un ruido sospechoso…».

Nos reímos pues tenía su gracia esa situación, pero la reacción de la maestra fue fatal. Levantó las cejas; después las juntó. Sus ojos se pusieron chiquiticos detrás de los espejuelos. Evidentemente aquello no le había gustado nada, y con una sola frase lo paró en seco: **¡Incorrecto, Luis! Esa situación no es la que se pide en el ejercicio. Por favor, reescríbelo.**

De inmediato pidió que otro leyera. Leyeron varios y ella hacía sus comentarios, y mis compañeros hacían sus comentarios también. La clase estaba animada por la discu-

sión pero yo quería desaparecer en mi pupitre para que la maestra no me viera, pues la carta que yo tenía en mente estaba lejos de lo que se pedía.

En estos momentos yo no podía pensar en nada que no fuera mi propia situación. Ahora yo solo pensaba en el Pájaro Azul. Pensaba en su regreso. ¿Encontraré al Pájaro Azul algún día? ¿Cómo? ¿Cuándo?

Continuamos la clase de AP[7], ahora escritura formal: **¿Por qué es importante mejorar las condiciones sociales de los niños en todos los rincones del mundo?** *Leemos las fuentes escritas, escuchamos la fuente auditiva: Pobreza en todas partes. El mundo que hace craaac, como si se partiera. ¡Vaya, vaya temita para este día!*

«La bolsa de valores baja, la crisis sube»: *Esas fueron las palabras que escuché de la conversación entre el señor Rodríguez-Pardo Bazán y el señor Vílchez a la hora del almuer-*

---

[7] Alusión al programa Advanced Placement Spanish Language.

zo en la cafetería. *Parece que el fantasma del gran Gatsby, el personaje de la novela que nos mandó leer la señora Lugo, estuviera paseando entre nosotros.* Todo parecía indicar que tendríamos que olvidarnos de una vez y para siempre del fantasma Gasparín, tan simpático y bueno.

En la casa me pasan cosas extrañas (¿habrá fantasmas en la casa?). A veces no puedo dormir bien. Imagino que muchas ovejas entran a mi cuarto y silenciosas rodean mi cama. Me quedo mirándolas. Las cuento. Pero no me duermo. Veo a través de la ventana las nubes y las estrellas. Las cuento también. De nada sirve.

Me estoy sintiendo extraña; no sé qué me pasa. En mi mente me puse a hacer una receta: Me tiendo en la alfombra, después me siento sobre ella para volar y me sujeto con fuerza de sus bordes. Estiro las piernas hasta que mis pies tocan sus extremos. Busco el equilibrio. Me concentro. Pienso en el vuelo, en que me escapo. Pero la alfombra no se despega... Muevo los brazos con fuerza como si fueran molinetes. No resulta tampoco.

Para las tardes he inventado un juego con mi hermano: Una competencia de rimas. La de ayer fue así:

Él me dijo:	Cuando me pongo los espejuelos yo me parezco al bisabuelo.
Yo le dije:	Cuando me pongo mis medias nuevas yo me parezco mucho a mi abuela.
Él me dijo:	Cuando me miro en el espejo pienso que soy como el abuelo.
Yo le dije:	Cuando me pongo mis medias nuevas yo me parezco mucho a mi abuela.

Él me dijo: Si yo quisiera
darle a la lata
una patada,
me pareciera a ti,
mi hermanita
«cara de gata».

*Enmudecí. No encontré palabras para con-
testarle, quizás porque no esperaba esa rima
o porque me molestó que me llamara «cara
de gata». El nunca antes me había tratado
así, poniéndome apodos... Y perdí; es la primera vez que pierdo en este juego. La pura
verdad es que nada me sale bien por estos
días.*

*Trato de escribir la carta. Pero ya se sabe
que en estos momentos no puedo seguir las
instrucciones. Además, ¿cómo voy a escribir
sobre algo de lo cual no tengo experiencia?
Nunca he tenido una cita, y hasta me parece
que todavía no me miran los muchachos. He
sabido que algunos han hecho comentarios
sobre mí, pero ninguno se me ha acercado.*

Que soy muy seria, que salgo con chaperona, que no contesto el teléfono, que si esto, que si lo otro... ¡En fin!

Pero al Pájaro Azul sí lo conozco de verdad, ya desde hace algún tiempo, como a un viejo amigo, y ahora le escribo:

«Carta al Pájaro Azul,
dondequiera que esté.

«Ahora soy una niña que ha perdido el gran premio de su vida, que es su madre. Pero tengo esperanza en tu color y en el recuerdo de tus alas.

»El viento bate mi pelo y empuja mi nariz. Me dan miedo unos hilos invisibles y soy como un papalote, pero no me siento dueña del cordel que ahora me empina. Y te pregunto dónde podré encontrar la fuerza y la confianza.

»Yo sé que tú puedes ayudarme a encontrar a mi madre. Por eso te estoy pidiendo ayuda. Solo tú harás con las alas puente y río, y con tu sombra, tierra y mar. Estoy segura que entre los dos la encontraremos.

»Volaremos alto. Nuestros cuerpos quedarán suspendidos en el aire como en un dibujo, y buscaremos por todo el paisaje.

»Desde arriba las casas van a parecernos pequeñitas, los hombres pequeñitos, y los niños serán como un punto inquieto entre sus juegos.

»No vayas a tener ningún temor, que si volamos tu azul no me dejará caer.

»Solo quiero que me ayudes a encontrar a mi madre. Que me ayudes a traerla de nuevo con nosotros.

»Ya ves, soy una niña y no sé cómo terminar esta carta, pero te pido que me ayudes.

»Que bajes de tu altura un momentico.

»Pájaro Azul, que te me acerques.

»Contesta pronto, por favor.

»Y no pongo fecha ni lugar porque te esperaré siempre.

»En todas partes.

»Tuya,

Solángel Murillo».

Me sorprendí cuando terminé de escribir la carta. Fue porque de pronto una varita mágica había saltado a mi mano. Podía verla, tocarla. La sentía. Sonó el timbre y se acabó mi última clase. Recogí mis cosas, cerré la mochila y salí del aula con la mano metida en el bolsillo de mi abrigo; la mano que tenía la varita mágica, para que no se me escapara.

Mi hermano y yo nos vimos como siempre en la puerta principal de la escuela, la misma puerta donde el caballito Felipe nos daba sus paseítos y carreras todas las tardes. Allí nos encontramos con la amiga de mi mamá, la dueña de la fondita. Ella nos llevaría a su casa, donde mi papá nos recogería por la noche para llevarnos con él a Carolina del Norte. ¿Por cuánto tiempo viviríamos allá? ¿Y si a él lo deportaran también?

Esa idea fue como un gusanito que se me metió en el corazón y me dio mucha angustia. Me aterrorizaba quedarme sola y tener que pasar de nuevo por el dolor que sentía en este momento.

Quizás lo mejor era irnos con mamá para Honduras. Allá estaríamos también con los abuelos, los tíos y los primos y todos sus amigos, una verdadera familia. No nos faltarían protección y ayuda. Quedarnos con mi padre era como estar siempre amenazados y con miedo a que sucediera lo mismo. Pero mi cabeza me dolía mucho y no podía pensar. Y lo más importante: Yo soy de aquí, yo nací aquí. La palabra «aquí» golpeaba en mis oídos como si la estuviera pronunciando. Pin, pin, pin, martilleaba en mi cerebro. Pin, pin, pin.

Llegó el momento de partir. Ese día había sido el día de las despedidas. En estos momentos volví a despedirme mentalmente: Mis *amigas y amigos de la escuela, los de la iglesia... También me despedía de mi barrio, de la Calle 8 y de la Coral Way mientras buscábamos la I-95.*

Llevaba en el bolsillo, apretada por mi mano derecha, la varita mágica que el Pájaro Azul me había enviado. Comencé a frotarla y me pareció que de mi bolsillo salían unas luces pequeñitas. Seguí frotándola hasta que las lucecitas se convirtieron en chispas, y las chispas se hicieron grandes. Esa era muy buena señal. La mejor señal: Mi varita funcionaba.

De pronto el transportation[8] *de mi padre se convirtió en carroza como la calabaza de Cenicienta, y después en un gran avión. Y yo veía las nubes y abajo el mar, y oía a los marineros comunicando un* SOS SOS SOS *desde sus barcos: Pedían ayuda porque se me había caído el primer diente. Oía a mi mamá diciéndome:* «Te ves muy bonita todavía». *Y el piloto del avión gritaba:*

---

[8] Auto viejo.

«¡Atención, atención!». *Las nubes le contestaban:* «¡Cedemos nuestro espacio, traigan la zapatilla de cristal! ¡Que vengan las legiones de hadas...!».

Pero yo había dejado ya el avión y ahora iba volando sobre el Pájaro Azul que abría sus alas y se inclinaba lentamente, decidido a bajar...

El aire batía mi pelo y empujaba mi nariz, como le dije en mi carta al Pájaro Azul.

Mientras descendíamos yo gritaba como cuando nos lanzábamos de la montaña rusa.

Yo gritaba de felicidad. Gritaba cada vez más alto. ¡Más alto...!

Mi papá me despertó. Me asomé por la ventanilla del carro y vi muchas luces. Y edificios muy altos, que casi se podían tocar desde la calle.

—*¿Por dónde vamos, papá?*

—*Sólo por el dauntáun[9] —me contestó. ¡Acabamos de empezar! —añadió.*

---

[9] Downtown: centro de la ciudad.

Todavía no habíamos dejado la ciudad; nos quedaba mucho camino por andar.

Cuando entramos a la carretera mi hermano ya dormía en el asiento trasero. Me acomodé y recosté la cabeza sobre la almohada contra el cristal de la ventanilla.

La noche era hermosa. Me puse a mirar al cielo. Estaba cuajado de estrellas y la luz de la luna llena daba contra las nubes.

Miré las nubes gruesas, abultadas, redondas. Me pareció que una de ellas era más delgada que las otras, que tenía una forma más bien alargada, y que en vez de blanca, era de color azul.

La luna mostró esa nube con toda su claridad: Su color era intenso.

La nube azul se iba moviendo lenta, muy lentamente, sobre nosotros. No sé si quería acompañarnos o si nosotros la íbamos siguiendo. Pero allá estaba: Una nube azul.

Azul como el Pájaro Azul.

DAISY VALLS, escritora, editora y profesora nacida en Cuba y radicada en Estados Unidos, ha publicado *El monte de las yagrumas* (relatos para niños), *Remero de un barco de papel* y *Pequeña balada feroz* (ambos de poesía), *El cuento del tomillar* (prosa poética), *El club de los caracoles escarlatas* (novela). En 2009 *Mi última clase* recibió el premio del concurso Migraciones: Mirando al Sur.

Email: daisyvalls19@gmail.com

MARÍA TERESA ORTEGA, nacida en Cuba, es licenciada en Derecho Diplomático y Consular (1962) y en Lengua y Literaturas Inglesa y Norteamericana (1969) por la Universidad de La Habana. Se ha desempeñado como traductor simultáneo pero su trabajo mayor es en la literatura, pues ha traducido más de una veintena de libros. Dirigió la Redacción de Literatura de Asia y África de la Editorial Arte y Literatura (La Habana), y ha sido traductora de la FAO (Roma) y la UNESCO (París). Ha trabajado en subtitulaje y traducción de películas cubanas e internacionales.

MARÍA SÁNCHEZ, pintora e ilustradora, nació en Cuba y se graduó en Lengua y Literatura Hispánicas por la Universidad de La Habana. Ha ilustrado los libros *José*, de Georgina Lazo, para la colección Cuando yo sea grande de la editorial Lectorum, y *Cuentos de té y otros árboles*, de Mónica Rodríguez Suárez, publicado por Everest. Su quehacer profesional se desenvuelve en las artes visuales con una obra plástica autodidacta ya reconocida en prestigiosas ferias de arte, galerías y colecciones privadas.

My Last Class

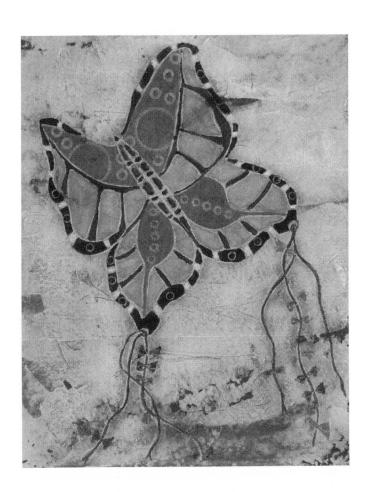

We are now going, heart, wherever it may be,
it is not costly to go, but costs a lot.

Eliseo Diego

THREE MINUTES BEFORE we had entered the classroom, my classmates had been involved in laughter and conversations, but now there was silence, and Mrs. Valle, our Spanish teacher, was taking the attendance. I heard when she said my name, but I didn't answer. She repeated it. My classmates began to call me in a low voice – "Solángel, Solángel" – so I would answer. At last I gave out a weak "present."

The truth is I felt my tongue could not move, my lips could not open, my muscles were not going to answer any order my brain may give. I was glued to my chair and its hardness was already part of my own body.

It was the day of my goodbye, although nobody knew. I promised my mother I was not going to say it and I am carrying it out. A promise is a very serious thing, especially when offering it to your mother.

The class was already beginning. I think the teacher was talking about the verb complements, but I could not hear her in spite of sitting in the second row. A pile of images from the former night crossed my mind. The piece of news in the living room of my house, the telephone ringing so much, my bedroom, my bed, the teddy bears on my bed. The teddy bears I hugged crying. But I rejected those images when the teacher said that **"the complements of the verb enrich its meaning."**

It seems that these words shook me, returning me momentarily to the class, but my mind was immediately wandering again. Now I was in the patio of my house where my mother was combining colors to make me a kite. The images were printed in the photos: This is me, and this is my friend, and this is my mother who has just finished doing it and puts on the tail with its beautiful bows and a long, very long thread. She lifts it and I see her going with it very high to the sky, flying between the clouds behind the tree with the swing, where a little later she returns with her big belly where she was carrying my little brother.

My mother put the kite on the chest of drawers in my bedroom, but I hung it from the fan on the ceiling. And since we were bringing the heat from the yard, the strong heat we have here in Miami, I turned the fan on and the kite began to turn around and around until it shot out through the window. It seems it sailed close to the wind because we couldn't find it. As in my childhood, I now think, the kite shot out as my childhood did.

Mr. Robles came in to talk with the teacher. Whenever he enters the silence becomes thicker, almost as if it could be cut with some scissors. Chis, chas, chis, chas. But my silence was even greater than that of the others. It was dense, stronger. I went back to the yard at my house while Mrs.

Valle was talking about the donkey that was playing the flute by mere chance.

I remembered the story that I myself invented about Felipe, the little horse, and his adventures. He was very good and when he went to school children loved him very much because he let them ride at the time we were leaving and because he wanted to learn music. Not piano, because its legs were hard and he would break it with his hoofs; but he did play the flute if I would hold it and put it near his big mouth where he would blow through the little holes. That is how he learned to play the national anthem of Honduras, where my grandparents live.

One day, while he was playing, I took the cell phone and dialed the number. My grandmother was able to hear it from there. How happy my grandmother was! She said she could not believe it. But my mother took the phone from my hand and said I do not know what, and she explained to her that I was very prone to fantasizing and all that, but I know my grandmother believed me. She knew that Felipe's story was real and true, at least for me, when I was five years old.

My mother, who is now with them, must surely have told her about Felipe playing the flute and when she herself flew hanging from my kite.

I heard the noise of the door closing behind Mr. Robles. Mrs. Valle was still with Samaniego and Iriarte. Who were they? She wrote the name of La Fontaine on the blackboard and then went to Greece with Aesop. Nice trip. But the grapes were not ripe for us, which is, for my family and for me, at least, not yet.

In my backyard there is a grape plant my mother fondly took care of. Everyone told her that in Miami grapes do not grow, that when they do they are small and acidic, so what for? But she did not answer. And when she did, she took the hose and answered with very few words, looking at the stem she was watering, "If you take care of a plant, it will give its fruit. And if it does not give fruit, at least it will give its shadow." After saying this, she always remained silent, perhaps waiting for an answer that never arrived. "People say things that at times they do not need to say," my mother commented. How much do people talk!

And how much do animals in the fables talk! They need no license, not even to ask for permission. License. License to drive. License to enter into a country. To enter the United States. Visa. Passport. That was a very frequent topic in my house. The elders always talked about the same things. Meanwhile, I went to my room to watch television. Not Play Station, because I did not have it at the time, nor MP3, and much less a DS Nintendo. During those days that in my house there was so much talk on migration, my first tooth fell.

"You have lost a tooth!" my father exclaimed. "Let's put it under the pillow for the little mouse to leave money for you," he added.

"It is here!" I said picking it up. The following day I woke up early and, under the pillow, my hand touched a brand-new big five dollar bill. My mother came to my bed and said to me with a smile:

"You have lost your tooth, the first one, but don't be ashamed of smiling now. You still look very pretty!"

My mother's words comforted me, because I was very sorry for my tooth. But now I was looking at the blackboard and heard the teacher calling my attention because she noticed that I was now in the clouds or in Bethlehem with the shepherds or on the moon of Valencia, as she says. I began to copy from the blackboard.

Review: The complements of the verb
The fable. Characteristics of the fable.
The fable in Spain. In France. In Greece.
The Flutist Donkey.
The Fox and the Grapes.

I copied some words written as if unattached and now I did not know why the teacher had written them.

I copied the word **Homework.**

But I did not copy the homework.

I felt as if a strong wind blew on my head. I touched my hair in case I was disheveled, but no, my hair was in order. The wind was inside me, furiously blowing in my brain. My mother combed my hair before she left. It was the last thing she did for me before they took her away. Here I have the brush and the comb in my satchel. I can touch them. I can feel their teeth and their bristle. Now I touch them through the fabric.

"You should always be well combed and clean, smelling of perfume," she said.

"Always, mom, I'll never forget it," I answered holding her tight.

I feel my mother's fingers, her loving hands on my hair, making them run down the collar of my uniform's shirt, tidying my skirt as if smoothing it out with some soft swipes.

Her hands. Her arms surrounding my back. Her slow embrace that became increasingly stronger without harming me, but doing me much good. Her goodbye.

And, above all, that she was not crying. My brother and I hugged her as if she were the trunk of a tree, the three of us squeezing together with strength. When we separated, my brother and I had silent tears running but behind her sweet look, her eyes were dry. She had the eyes of one of the Madonnas in Art class. The deepest and sweetest look I have ever seen in my life.

With a quick movement I shook my head, as if saying no, no, no, rejecting that image. But the image did not leave; it was printed on my brain like a decal.

My mother stuck decals on my pullovers. She set them on the cloth and then passed the very hot iron on them and, when peeling them off, the figure appeared with all its colors; the Woodpecker for my brother and Snow White for me. Those were the ones my grandmother preferred; that is why mom put them on; the bird with its crazy laughter and Snow White holding her skirt, so nice, and smiling with her white and even teeth and pink lips, Snow White with the ribbon on her head and her black neatly combed hair.

Decals are not like that anymore. They have other characters; many are strong, violent, with shrunken faces, unfriendly and the tattoos stick to the skin and can also be peeled off as decals, but differently.

Like a tattoo I had attached the goodbye of my mother. A tattoo attached to the skin, attached to the soul. My whole heart was already tattooed in a permanent way.

I like the decorations in the classroom. I like posters, especially those of The Medullas that is on the wall at the back, very high mountains, with a golden color, against a very blue sky and some white clouds. **"The most important gold mine in the Roman Empire,"** *Mrs. Valle had said to us at the beginning of the year, long and deep rivers* *down there.* "In Honduras there are mountains and rivers too, and even the Chiligatoro lake, *my mother said.* "The mountains there have extraordinary views," *she frequently repeated as if she were seeing them.*

In front of my desk I have the poster of the Santo Domingo de Silos monastery, with its corridors and galleries of engraved columns, the central courtyard with its green and fine grass and the tall pine tree. I feel so much peace when I look at that poster! From now on, I will need more and more peace.

I glance to the other side of the blackboard. The behavior rule Mrs. Valle has put on the mural is there: **Don't do unto others what you do not want them to do to you.** *That is biblical. I have heard it in Sunday School many times. In the church where my mother sang and had friends, and my little brother and I saw films and listened to stories.*

My mother is a catracha[10] and I, although I was born here, am a catrachita. I love Honduran food, the tortillas and the fried beans with cheese on top. I go crazy for any dish made of corn, or a banana from the land, so sweet.

I like it when mom tells me that the people of the great chief Lempira took the gold from the rivers with their own hands, as it should have been at the beginning of Las Médulas mines. If I had lived in his time, I would have liked to enter the river with the water to our knees to find nuggets, three or four gold nuggets for my ears, one for my nose, and another one for my eyebrow. No, not that. My mother would not like it. It does not look elegant; that's something for chongas[11]; they are the ones who wear all those bargains and earrings and big necklaces. No.

---

[10] Sobriquet with which Hondurans are known.

[11] Persons who wear flamboyant ornaments, with much glitter and rather common, as big earrings, thick chains and so on.

I would rather keep my nuggets for when I'll be fifteen. They would surely have thrown me a great party. I used to dream of that. Yes, a place in Homestead, a place where peacocks are raised and there are ponies and gardens smelling as pomarrosas. By day, we would bathe in the pool and, by night, we would have a big dance. The girls in my group and I would enter the dance with our ponies decorated with flowers and balloons and our partners taking the bridles, would go. The boys would be our partners. My partner, as the prince; and I would dance Punta[12] gathering my skirt as Snow White did. Yes, of course, the first dance would be great.

For many weeks I have been thinking about my fifteenth birthday. I imagined the hustle and bustle of my mother and her

---

[12] Dance and music typical of Honduras. It is said that it was originated by the garifunas, an ethnic group on the north coast descending from African slaves and Caribbean and Arawak Indians. They danced it *from point to point of the coast*, therefore their name.

friends trying not to forget the last detail: sending the invitations, rehearsing for the dance, looking for so and so for the rehearsal, taking so and so to her house, the hairdresser, the seamstress, well, the entire paraphernalia *(words from my mom) that should be taken into account. Now I am fourteen, a long way to go, an entire year.* In a year you can pinch a donkey to death *(words by my grandmother, who always had interesting sayings).*

Now my fifteenth year changed and I will have to plan my party again, as beautiful as I had imagined it. As well as it was being planned. Most probably I will have to celebrate it with my mother and my grandparents, my uncles and cousins, my family from over there. I will have to find out how the fifteen year old's parties are celebrated in Honduras.

The problem is how it will be without my friends, with people I have never met or that I barely know only on the phone or in pictures. What cortege would it be with those unknown ladies? Would I even have a cortege?

I don't know. Now I don't know anything. It is as if I am living between two worlds. But that is not new. It has always been like that since I was born, or before I was born, when I was a baby and was in my mother's big tummy.

That could be good.

But what is really good is to dance Punta. That is what I like the best in Honduras. The Punta is the traditional dance; everyone dances it, in the halls, in the parks, on the streets. When the drums are heard, people begin to move their hips around, men and women dancing; dancing as if they only thought on how to move their bodies. The girls and the boys also dance because they learned since they were very young.

My mother was a Punta champion. She used to dance very much and without tiring herself out. She used to win when there was a competition in her school and she taught me how to dance it. We had loads of fun!

"You have to learn! I will teach you," she had told me.

And I, crazy to dance, answered:

"Right now!"

My mother put on a record. A song, "The Little Dream," was heard and we began to dance happily, laughing, while we cleaned the house, I with the broom; she with the floor mop. What a great couple we were!

To celebrate Hispanic month here in school, we formed groups of Spanish-American dances: the jota, the tango, the cumbia, the plena, the joropo, the salsa, the conga and others. I danced "El sueñito" and "La tusa," old songs, as beautiful as performed by folkloric groups, with a long skirt, moving my hips and taking the edge of my skirt with the tips of my fingers, opening it as a fan and turning around.

My mother, sitting in the front row, used to see me dancing on the stage. She followed

*my movements with a smile, with sparkling
eyes and with pride. And when the applause
ended, I took the mike and said: "I dedicate
this dance to my mother, who taught me to
dance Punta." When she heard that, she
stood up, ran up the steps and hugged me.
The hug lasted a long time. I thought we
would be unable to separate.*

*After that we had a party at home. My
three best friends were with us. Mother
rewarded me with the best catracha food I
have had in my life. She prepared baleada[13],
a corn omelet with roasted meat and beans
with cheese, and meat pie with spices and
diced potatoes. She also made Ducal brand
red beans, small cabbage tamales, meat pies
and even ticucos[14]. And we didn't miss the*

---

[13] Traditional dish of Honduran food made with a
flour tortilla, folded and full of fried beans, also adding
any type of meat, egg, cheese and so on.

[14] Food made with corn mass, beans, salt, butter,
cheese, tomato, pepper and cucumber. It is wrapped up
in a corn leaf.

king, the nacatamal[15], although it was not Christmas yet. She prepared passion fruit and blackberry soft drinks.

My brother's glass spilled and his drink fell on the carpet and a sort of liquid map emerged. My mother took great care of that carpet brought to her by a friend from Co-mayagua. Those from Comayagua are very famous and this one was a very special copy, with a background blue as the sky and some beautiful pines trees.

I was standing on a pine tree and, behind the pines, there was no moon, but the flag with two blue stripes and a white one, and mother was standing in the middle, where the five stars are. That is to say: Mother did not have one star to guide her in her life, but five of them. And there she went, with her five

---

[15] Dish similar to the tamale. It is made with corn mass and filled with slices of potato, pimento, tomato, onion, olives. The mass is wrapped in plantain leafs which are tied up with a string.

stars, in a direct flight to Tegucigalpa: a flight that changed her life and ours.

Mother of mine: Now you are in the country of the Punta, but you don't dance. In the country of the ticucos, but surely you cannot have any of them, because you have a knot in your throat. You again are in the country of catrachos. But, like me, today you have lost your happiness.

THE TEACHER WALKS DOWN the aisles in the classroom, she stops next to me, she looks at me. I try to hide my eyes so she does not notice that I am almost about to cry while she makes an effort to make us learn the characteristics of the fable: **The fable always teaches us something. The fable has a message, a moralistic message at the end. The moralistic message is the lesson. The word moralistic comes from the word moral.**

Moral. I hear that word and I remember my father. Yes, when he lied. What a big lie! What an ugly lie!

First he lied to my mother. It was when he had lost his job and told her that he had two new jobs in North Carolina, one cultivating tobacco and the other on a farm with chickens and hens. He could do both perfectly well, working hard to save money and be together again... But for now he could not take us with him. That is what he said the night before he left, when we were together in the living room. That first he had to prepare our accommodation, prepare the conditions so we would have everything we would need, every type of comfort.

While my father talked and said he loved us very much and wanted the best for us, my little brother and I cried our eyes out. My mother was serious, but she did not cry. She did not seem sad either, but tense. She had let her hands fall on her lap and they seemed heavy, motionless.

The following day, when my mother picked us up at school, my father had already left. We arrived home and I felt it was empty. My little brother sat on my father's arm-chair, a high reclining seat where, while watching television, he rocked him to sleep since he was a baby. My brother began to cry again. My mother was on the sofa and I leaned on her, with my head on her arm, as if I could glue myself to her side.

My mother was not crying, that is why I think I didn't cry either. Close as I was to her arm, I felt her hard, like a stone; and it is that she was controlling herself, quieting down something very painful, a very deep feeling difficult to share with us; something belonging only to her, which she couldn't tell us. The only thing I wished was to remain very quiet next to her, as if embedded in her forever.

At the beginning my dad phoned us every day then every week, but later increasingly less. However, he always did send money to my mother. In all that time he wrote twice, once in the month of May and the other in December. In the May letter he spoke to us about the beautiful flowers they had over there, of how beautiful nature was, of the spring buds, of how the little stream sang.

In the letter of December the first he said that the trees did not have a single leaf that they were bare, rather dry, that it was very cold and the first snowfall had arrived. My little brother and I were very excited by the news of the snow and we already saw ourselves rushing down the soft hills that surely surrounded the house.

I could imagine the green fields full of blue and lilac flowers standing at the feet of the mountain or the large spaces full of daisies in September, the daffodils in April and the wild roses during the month of June. I could imagine the wide river with its banks full of ice in February and, in fall, as wrapped in flames by the reds, yellows and browns of the trees reflected in its waters; as they always were in October.

I could imagine everything; everything but the truth.

No, fables are not reality; fables are a product of creative fantasy. The characters do not behave in a real way, because they are animals and cannot talk or think like a human being, but they represent a real situation that may happen to a human being. That is why the situa-

tion a fable narrates contains a truth: the truth that manifests itself and synthetizes in the moral.

Yes, Mrs. Valle, but truth for me was different and I don't even want to think about it. And reality is even worse. My imagination now had limits. My situation had left me speechless and I almost could not think either. Even more: I believe I am losing my ability to dream. My mother was right when she said to my grandmother that I was very imaginative because I thought my little horse Felipe played the flute. How could I have thought that!

It had been more than a year since my father had left. During the week of spring break he came for us, only for my brother and I.

"Aren't you coming with us, mom?" I asked in surprise.

"No," she answered with bluntness.

"Come on! What's the matter? Why aren't you coming with us," I asked staring at her.

"I cannot leave my work for so many days!" she said slowly and in a very low voice.

I accepted her explanation but it hurt me that she would not be on the trip. She worked in the restaurant of a friend in Little Havana, a small restaurant, one of those that people call fonda. *It had six tables and a counter where they served breakfast, lunch and dinner. But at noon it was so full that people were almost unable to fit. That is why she could not leave her friend by herself for an entire week, with all the work that would fall on her. When my brother and I got in the car, the most beautiful time I have had in my life began. We had never left Miami before.*

Our trips did not wander far away from Hialeah - Sweetwater - Little Havana; this circle was our Sunday path. Now we were really traveling, big times! We were full of happiness. I carried an open map on my knees, looked at it, pointed my index finger and shouted the name of the next town or the following city.

We reached Yadkin Valley. It was really beautiful. There was no tobacco planted there, but an immense vineyard was beginning to sprout. The plants awakened after the intense cold and found themselves full of shoots.

"What a beautiful place, dad," I said, putting the map away.

"Yes, very beautiful," he answered.

My little brother did not say anything, but his eyes opened increasingly until they were the size of a dish. We had gone through so many towns, by so many roads, a sixteen-hour trip. I already wanted to rest, to take a shower, to fix my hair...

At last the car stopped in front of a house that had a rustic fence. Dad took the key and opened the gate and then the door. I was behind him and that is why I could not see inside until he moved to one side so we could enter. When stepping into the living room I saw there was a woman with a baby in her arms. My father stood happily next to them to introduce us.

"This is Carmen, my wife, and this child is your little brother. Come to see him, approach," he said while making a gesture with his hand.

When my father told us this, I was so surprised that I was speechless. All this time I have felt resentment against my father and also against my mother, because they never told us the truth, because they deceived us, because they lied to us.

My brother seemed to be calm, as if this situation did not touch him, as if what we had just seen did not matter. I do not have to say that I spent some very bad days with that lady, who was a stranger to me, and a little brother of whom I had never heard. And I do not have to add that during the return trip I was silent all the time and, even when my father said something to me, I answered with monosyllables.

Down the entire road I was constantly remembering the Blue Bird, that bird of happiness we had read about in the sixth grade and our theater group set up the play after seeing the film. The wonderful trip the brothers made in the open space, in the infinite sky, looking for the Blue Bird...

"Happiness does not have to be found far away. Happiness is close to us. Happiness is inside us. But we have to look for it." *The teacher told us that. Would that be the message of the play? After having read it, seen the film and making my debut on the stage as a great artist, still today, I have doubts as to what the author wanted to say to us. This is very complicated, very difficult.*

Because what I know up to now, it seems that happiness does not exist, or that it hides, or that it cannot be reached, as in the Blue Bird. Look at me. I thought I was going to have better days in North Carolina and I have returned as if they had thrown a bucket of cold water on my head...

We arrived at home. Mom was waiting for us, of course, with the table laid. We already know that what is more important for a mom is to feed their "chicks". I did not want to be as affectionate with her as I had always been, because it bothered me that she had hidden the truth about my father. She herself had taught me not to tell lies, to always tell the truth, and now something inside me had changed.

Days go by and, little by little, one forgets. I again was just as I used to be with her because I understood that "she had sacrificed herself so we would not suffer, so we would not have to live the anguish of a separation." *I thought I had been very selfish, because she* "tried to protect us, to take care of us so we did not have emotional problems or traumas, so we would better assimilate the absence of a father."

What father did to us hurt me very much, but I did not judge him now. He is an adult and decided to live his life away from us. But

I still love him. Besides, I have another little brother, a little brother who already walks and even says my name when my father phones me.

I learned much during all this time.

I read: **Learning is a vital function. Aristotle.** *That is the motto Mrs. Valle chose for this course and that is why she wrote it on the top of the blackboard. I ask myself what those words mean. The teacher had asked us some questions that I was unable to answer yet:* **Do we learn in the same way that we breathe? Do we have the same need to learn as to eat? Then, do we learn because we are alive? Or do we live because we learn?**

Well, the questions did not have much order, but **the order of the factors does not alter the product,** *Mr. Fernández told us in a Mathematics class. I miss Mr. Fernández, always in a good mood and also Mr. Robles, my fourth grade teacher. A lot of exercise, a lot of work, a lot of homework, but we* *learned. And once in a while we laughed. (Laughing is also a vital function. Solángel.)*

I connect myself with the class. Now we are going to begin the practice of AP Spanish Language. We open the book. Informal writing: **Write a short letter. Imagine you had a date in which you did not have much fun.** *Pencil, paper. Leaning heads, thinking. The time to write ends. Now we must read it out loud to discuss it; the teacher will make the corrections.*

Luis raises his hand; he wants to read his letter. He's given permission. He reads:

"Dear friend:
You cannot imagine how badly I felt on my date last night.
We went to eat in a very beautiful restaurant in Coconut Grove, with view of the sea and all that. When we were happiest, I had the idea of telling the girl a story. What a mess! Because of her

laughter, a suspicious noise escaped from her…"

We laughed because this situation was funny, but the reaction of the teacher was fatal. She raised her eyebrow; then put them together. Her eyes became very small behind her glasses. Evidently, she had not liked that at all and, with just one sentence, she sharply stopped him: **Incorrect, Luis! That situation is not the one called for by the exercise. Please, re-write it.**

She immediately asked someone else to read. Several of them read and she made her comments. My schoolmates made their comments also. The class was animated by the debate, but I wanted to disappear from my desk so that the teacher would not see me, since the letter I had in mind was far from what was being asked.

During these moments, I could not think about anything but my own situation. Now I only thought about the Blue Bird. I thought of his return. Would I find the Blue Bird some day? How? When?

We continued the AP class[16], now formal writing: **Why is it important to improve the social conditions of children everywhere in the world?** *We read the written sources; we listen to the auditory source: Poverty everywhere. The world makes the sound of "craac," as if it is splitting. Well, what a topic for this day!*

"The stock exchange falls, the crisis rises:" those were the words I heard from the conversation between Mr. Rodríguez-Pardo Bazán and Mr. Vílchez during lunch time in the cafeteria. It seems as if the ghost of the great Gatsby, the character in the novel Mrs. Lugo told us to read, was walking among us. Everything seemed to indicate that we had to forget, once and for all Gasparín the ghost, who was so nice and so good.

---

[16] Allusion to the program Advanced Placement Spanish Class.

Strange things happen to me in the house (are there ghosts in the house?). At times I cannot sleep well. I imagine many sheep entering my room silently surrounding my bed. I look at them. I count them. But I do not sleep. Through the window I see the clouds and the stars. I count them too. It doesn't help.

I am feeling odd; I don't know what is happening to me. In my mind, I began to make a plan: I lie on the rug, then I sit down on it to fly and I grab its edges with strength. I stretch my legs until my feet touch its ends. I look for balance. I concentrate. I think of the flight, in which I escape. But the rug does not take off... I move my arms as if they were pinwheels. It does not work either.

For the afternoons, I have invented a game with my brother: a competition of rhymes. Yesterday's rhyme went like this:

He said to me: When I wear
                       my glasses

	I look like
	my great-grandfather.
I said to him:	When I wear
	my new stockings
	I look very much
	like my grandma.
He said to me:	When I look
	at myself
	in the mirror
	I think I am
	like my grandpa.
I said to him:	If I wanted to look
	like my mother,
	I would sigh.
He said to me:	If I wanted to kick
	the can,
	I would look
	like you,
	my little "cat-faced"
	sister.

I remained silent. I could not find the words to answer him, perhaps because I did not expect that rhyme or I was upset when he called me "cat face". He had never treated me like that, using nicknames… I lost; it is the first time I lost that game. The truth is that nothing comes out well for me these days.

I try to write the letter. However, we already know that in these moments I cannot follow instructions. Besides, how am I going to write about something of which I have no experience? I have never had a date and I think that boys do not even look at me yet. I know some have made comments about me, but none of them have approached me. That I am very serious, that I go out with a chaperone, that I don't answer the phone, that this, that that… Well!

But I do know the Blue Bird very well for a long time, as an old friend, and now I write to him:

"Letter to the Blue Bird,
"Wherever it may be.

"Now I am a girl who has lost the greatest prize of her life, her mother. However I have hope in your color and the memory of your wings.

"The wind moves my hair and pushes my nose. I am afraid of some invisible threads and I am like a kite, but I do not feel that I am the owner of the string that now is lifting me. I ask you where I may find strength and trust.

"I know you can help me find my mother. That is why I am asking for your help. Only you can make a bridge and a river with your wings, and with your shadow, land and sea. I am sure that between both of us we will find her.

"We will fly high. Our bodies will be hanging in the air as in a drawing and we will search the entire landscape.

"From above the houses will seem small, men will be small and children will be like restless points in their games.

"Don't be afraid of anything. If we fly, your blue will not let me fall.

"I only want you to help me to find my mother, that you help me bring her back to us.

"You see, I am a girl and I do not know how to finish this letter, but I ask you to help me.

"That you come down from your height for a moment.

"Blue Bird, approach me.

"Answer soon, please.

"I will put no date or place because I will always wait for you.

"Everywhere.

"Yours,

Solángel Murillo"

I was surprised when I finished writing the letter. It was because suddenly a magic wand had jumped into my hand. I could see it, I felt it. The bell rang and my last class was over. I picked up my things, closed the backpack and left the class with my hand inside the pocket of my coat; the hand which had the magic wand, so it would not escape from me.

As always, my brother and I saw each other at the main door of the school, the same door where Felipe, the little horse, took us on his gentle stroll and running every afternoon. There we met my mother's friend, the owner of the small restaurant. She would take us to her house, where my father would pick us up at night and take us to North Carolina. How long would we live there? And what if he is also deported?

That idea was like a little worm that entered my heart and gave me much anguish. I was terrified to be alone and having to again feel the pain I felt at this moment.

Perhaps if would be better to leave with mom for Honduras. There we would also be with our grandparents, uncles and cousins and all their friends: a true family. We would not lack protection and help. Staying with our father would be like always being threatened and with fear for the same thing to happen. But my head hurt me so much and I could not think. And what is most important: I am from here, I was born here. The word "here" hits my ears as if I were uttering it. Pin, pin, pin hammered in my brain, Pin, pin, pin.

The moment to leave arrived. That day had been the day of goodbyes. In those moments I mentally said goodbye again: my girlfriends and boyfriends from school, those from the church... I also said goodbye to my neighborhood around 8th Street and Coral Way, while we were looking for I-95.

I kept in my pocket, clasped in my right hand, the magic wand that the Blue Bird had sent me. I began to rub it and it seemed that some small lights came from my pocket. I went on rubbing it until the little lights became sparks and the sparks grew bigger. That was a good signal. The best signal: My wand worked.

Suddenly my father's transportation [17] *became a carriage like Cinderella's pumpkin and then into a big plane. I saw the clouds and, below, the sea, and heard the sailors communicating an SOS SOS SOS from their ships. They were asking for help because my first tooth had fallen. I heard my mother saying: "You still look very nice." And the pilot of the plane shouted: "Attention! Attention!" The clouds answered: "We transfer our space, bring the glass slipper! Have the legion of fairies come...!"*

But I had already left the plane and now I was flying on the Blue Bird who opened its wings and slowly leaned forward, deciding to go down...

The air moved my hair and pushed my nose, as I had written in my letter to the Blue Bird. While descending, I shouted as when we rode the roller coaster.

I cried with happiness. I cried increasingly higher. Much higher...!

---

[17] Old car.

My father woke me up. I looked out the car window and saw many lights, and very tall buildings, which could almost be touched from the street.

"Where are we going now, dad?"

"Just the dauntáun[18]*," he answered. "We have just begun," he added.*

We had not yet left the city; we still had a long ways to go.

When we entered the road my brother was already sleeping in the backseat. I made myself comfortable and leaned my head on the pillow against the window glass.

The night was beautiful. I began to look at the sky. It was full of stars and the full moon was close to the clouds.

I looked at the clouds, thick bulky and round. It seemed to me that one of them was thinner than the others that it had a rather elongated form and, instead of being white, it was blue.

---

[18] Downtown.

The moon showed that cloud in its entire clarity: its color was intense.

The blue cloud was slowly, very slowly, moving over us. I don't know if it wanted to accompany us or if we were following it. But there it was: a blue cloud.

Blue like the Blue Bird.

DAISY VALLS, writer, editor and professor born in Cuba and settled in the United States, has published *El monte de las yagrumas* (stories for children), *Remero de un barco de papel* (Rower in a Paper Boat) and *Pequeña balada feroz* (Small Fierce Ballad), both of poetry, *El cuento del tomillar* (poetic prose), *El club de los caracoles escarlatas* (The Club of the Scarlet Snails), novel. In 2009 My Last Class received the prize in the contest Migraciones: Mirando al Sur (Migrations: Looking at the South).
Email: daisyvalls19@gmail.com

MARÍA TERESA ORTEGA, born in Cuba, graduated in Diplomatic and Consular Law (1962) and in English and North American Language and Literature (1969) from Havana University. She has worked as a simultaneous translator, but her most important work is in literature, since she has translated more than twenty books. She has worked as head of the Editorial Staff of Asian and African Literature in Art and Literature Editorial House (Havana) as well as a translator in FAO (Rome) and UNESCO (Paris). She has also worked in the subtitling and translation of Cuban and international films.

MARÍA SÁNCHEZ, painter and illustrator, was born in Cuba and graduated in Hispanic Language and Literature at Havana University. She has illustrated the books *José*, by Georgina Lazo, for the collection Cuando yo sea grande (When I'll Be Big) for Lectorum editorial house, and *Cuentos de té y otros árboles* (Stories of Tea and Other Trees) by Mónica Rodríguez Suárez, published by Everest. Her professional task develops in visual arts with an autodidactic plastic work already acknowledged in prestigious fairs of art, galleries and private collections.

Made in the USA
Columbia, SC
22 August 2019